六世达赖仓央嘉措情诗全集

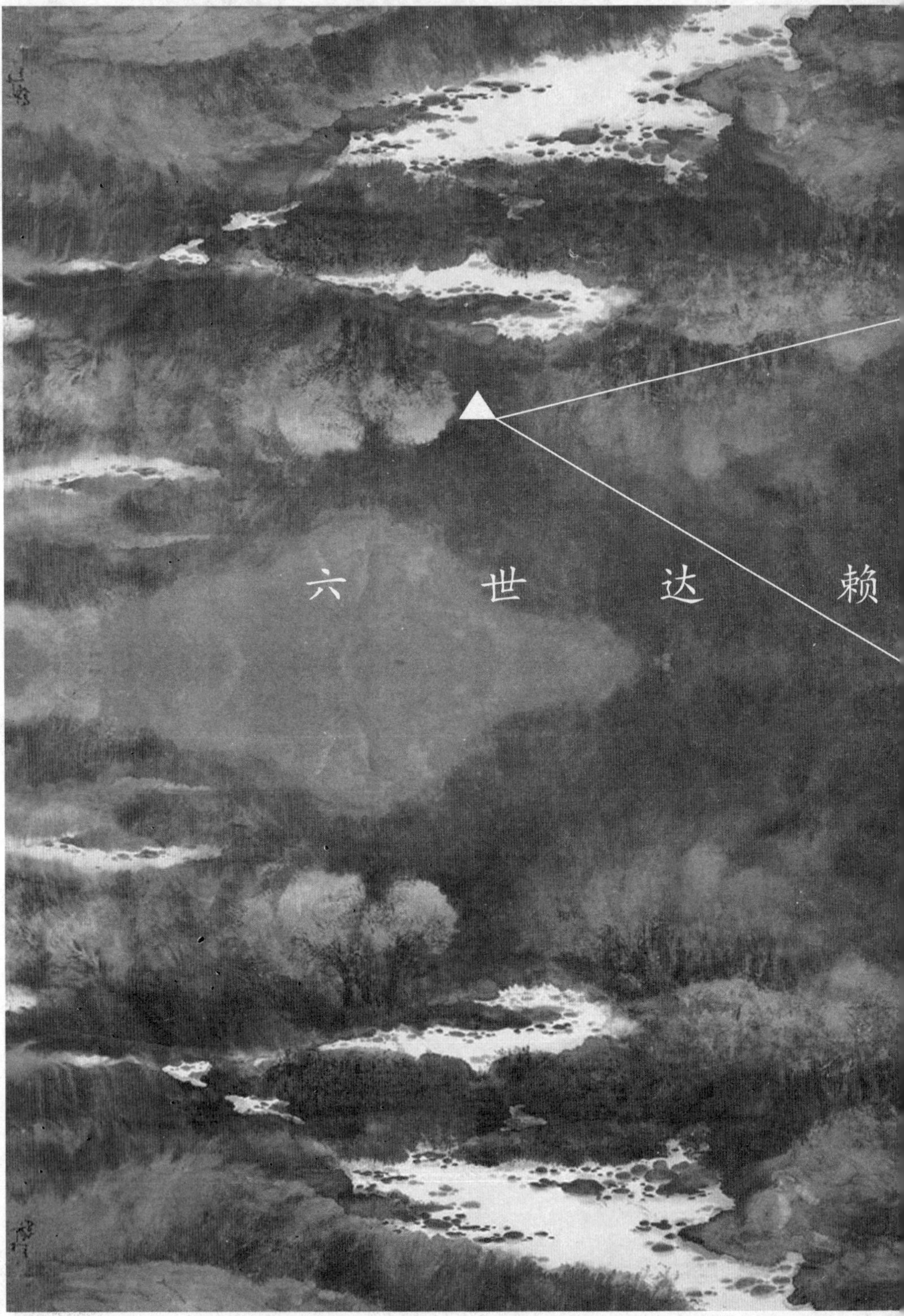
六 世 达 赖

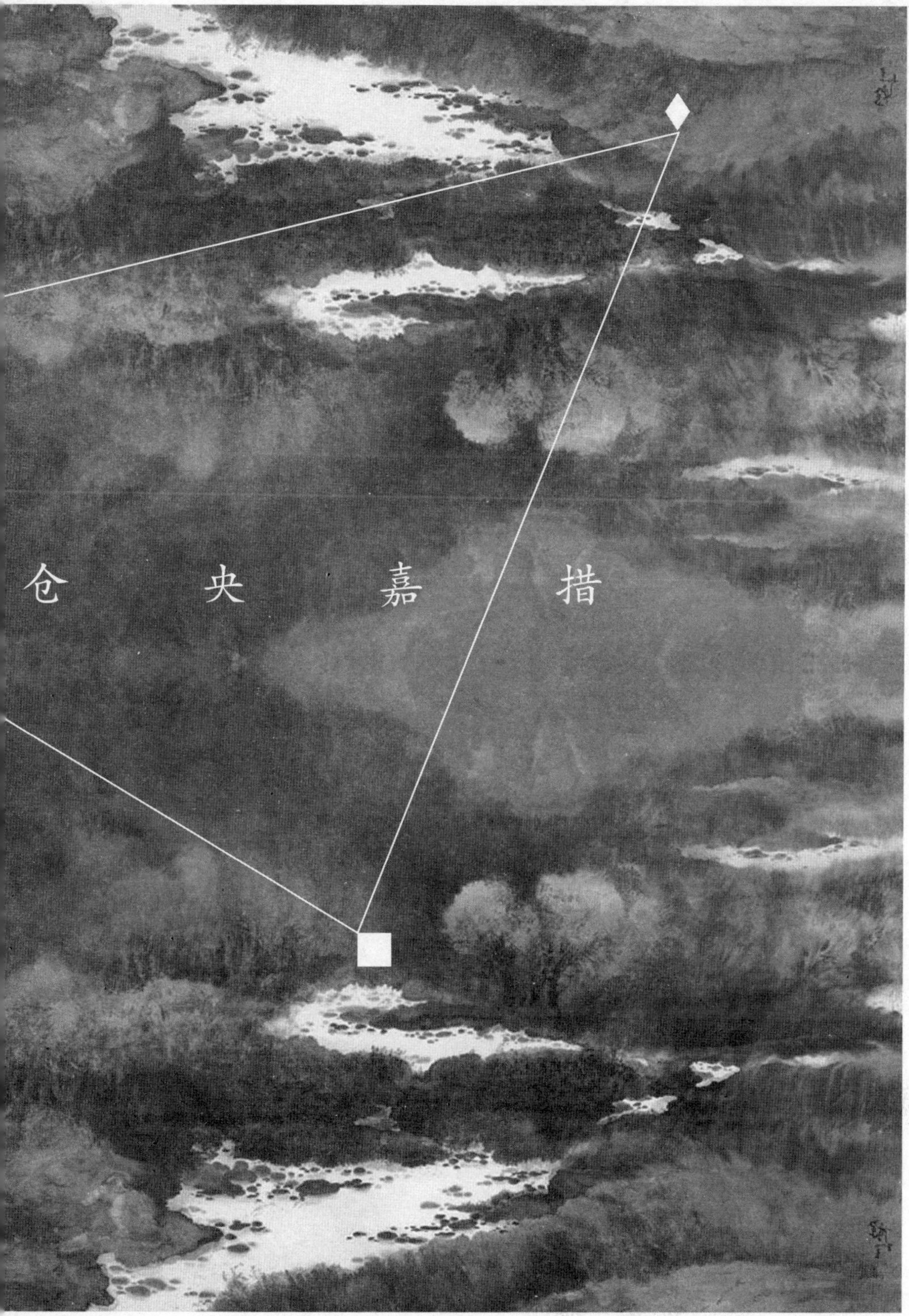
仓　央　嘉　措

六世达赖仓央嘉措情诗全集

目录

仓央嘉措情诗小考

仓央嘉措情诗在民间流传两百多年之后，诗歌数量一直没有一个准确的数据，众说纷纭。直到20世纪，著名藏学家于道泉先生开创了仓央嘉措情诗汉译的先河。至此，仓央嘉措情诗数量方才有了基本答案。对仓央嘉措情诗数量做过详细统计的藏族文学研究开拓者佟锦华先生曾在其著作《藏族文学研究》一书中提到：

> 新中国成立前即已流传的拉萨藏式长条木刻本57首；于道泉教授1930年的藏、汉、英对照本62节66首；新中国成立后，西藏自治区文化局本66首；青海民族出版社1980年本74首；北京民族出版社1981年本124首；还有一本440多首的藏文手抄本，另有人说有1000多首，但没见过本子。

当今学术界较普遍的说法是说仓央嘉措的情诗数量大约70首。其中于道泉教授的版本是仓央嘉措情诗汉译本中最早最权威的，所以，他所翻译的62节66首应当被视为仓央嘉措情诗流传至今的大概数量。

关于仓央嘉措情诗版本

仓央嘉措情诗汉译本主要包括白话版本和古体本（绝句体本）。其中最权威的白话本正是于道泉教授的译本，虽然美感不足，但是于道泉教授是逐字翻译的，最为精准到位。古体本（绝句体本）主要包括刘希武的五言本和曾缄的七言本。其中曾缄的七言本影响较大，较深。后来的版本大多都是这个基础之上进行修饰的“润色本”，影响力较小。

关于仓央嘉措读本概述

目前可知的仓央嘉措读本主要有：

1. 1981年，民族出版社，《仓央嘉措情歌及秘传》（1999年再版时更名为《情天一喇嘛》，由中国藏学出版社出版）；

2. 1982年，西藏人民出版社，《仓央嘉措及其情歌研究》；

3. 2003年，中国藏学出版社，《雪域诗佛》（2007年再版时更名为《六世达赖喇嘛仓央嘉措》，由中国藏学出版社出版）；

4. 2003年，西藏人民出版社，《六世达赖仓央嘉措情歌及秘史》（2008年再版时更名为《仓央嘉措情歌》，由青海人民出版社出版）；

5. 2009年，江苏文艺出版社，《仓央嘉措诗传》；

6. 2010年，云南人民出版社出版的《世间最美的情郎：六世达赖仓央嘉措的情与诗》。

关于仓央嘉措的著作主要分为两种：第一种，资料研究型——包括1982年由西藏人民出版社出版的《仓央嘉措及其情歌研究》和2009年由江苏文艺出版社出版的《仓央嘉措诗传》；第二种，传记解读型——包括1981年由民族出版社出版的《仓央嘉措情歌及秘传》、2003年由中国藏学出版社出版的《雪域诗佛》、2003年由西藏人民出版社出版的《六世达赖仓央嘉措情歌及秘史》，以及2010年由云南人民出版社出版的《世间最美的情郎：六世达赖仓央嘉措的情与诗》。

一般来说，关于仓央嘉措的著作，除了主要著作论述之外，都会随书附上仓央嘉措情诗，或者将仓央嘉措情诗编织入行文当中。另有杂乱读本若干，暂不赘述。本书随书附赠《六世达赖仓央嘉措情诗全集》最经典白话译本和最经典古体译本，版本完整、权威。

于道泉（1901–1992），字伯源，临淄区齐都镇葛家庄人，是著名教育家于明信先生的长子。藏学家、语言学家、教育家。从小受其父的熏陶和影响，养成了凛然正气和笃学的精神。《民族学院院报·语言奇才于道泉》说他：『掌握了十三种语言，有藏、蒙、满、英、法、德、日、俄、西班牙、土耳其、世界语等』。季羡林也曾评论他说：『（于道泉）是一个有天才的人，学富五年，满腹经纶，淡泊名利』。于道泉20多岁便经由印度诗人泰戈尔的推荐在北京大学担任俄国东方语文学博士钢和泰的随堂翻译，所教授课程是梵文和印度古宗教史。1930年，于道泉发表的《六世达赖仓央嘉措情歌全集》（白话译本），被奉为仓央嘉措情诗最权威的译本。20世纪80年代此译本重新出版时做过一些整理。

仓央嘉措情诗全集·于道泉译本

其一

从东边的山尖上，
白亮的月儿出来了。
『未生娘』*的脸儿，
在心中已渐渐地显现。

*『未生娘』系直译藏文之ma-skyes-a-ma一词，为“少女”之意。

其二

去年种下的幼苗，
今岁已成禾束。
青年老后的体躯，
比南方的弓*还要弯。

*制弓所用之竹，乃来自藏南、不丹等地。

其三

自己的意中人儿，
若能成终身的伴侣，
犹如从大海底中，
得到一件珍宝。

其四

邂逅相遇的情人，
是肌肤皆香的女子，
犹如拾了一块白光的松石*，
却又随手抛弃了。

*『松石』乃是藏族人民最喜欢的一种宝石，好的价值数千元。在西藏有好多人相信最好的松石有避邪护身的功用。

其五

伟人大官的女儿，
若打量伊美丽的面貌，
就如同高树的尖儿，
有一个熟透的果儿。

其六

自从看上了那人，
夜间睡思断了。
因日间未得到手，
想得精神累了吧。

其七

花开的时节已过，
“松石蜂儿”*并未伤心，
同爱人的因缘尽时，
我也不必伤心。

*据藏族人民说，西藏有两种蜜蜂，一种黄色的叫作黄金蜂gser-sbarng，一种蓝色的叫作松石蜂gyu-sbrang。

其八

草头上严霜的任务*，
是作寒风的使者。
鲜花和蜂儿拆散的，
一定就是『它』啊。

*这一句意义不甚明了，原文中Rtsi-thog一字乃达斯氏《藏英字典》中所无。在库伦印行的一本《藏蒙字典》中有rtstog一字，译作蒙文tuemuesue（禾）。按thog与tos本可通用，故rtsi-tog或即rtsi-thog的另一拼法。但是将rtsi-thog解作禾字，这一行的意义还是不明。最后我将rtsi字当作rtswahi字的误写，将kha字当作khag字的误写，乃勉强译出。这样办好像有点过于大胆，不过我还没有别的办法能使这一行讲得通。

其九

野鹅同芦苇发生了感情，
虽想少住一会儿。
湖面被冰层盖了以后，
自己的心中乃失望。

其十

渡船*虽没有心，
马头却向后看我。
没有信义的爱人，
已不回头看我。

*在西藏的船通常有两种：一种叫作ko-ba，是皮做的，只顺流下行时用。因为船身很轻，到了下游后，撑船的人可以走上岸去，将船背在背上走到上游再载着客或货往下游航行。另一种叫作gru-shan，是木头做的，专作摆渡用。这样的摆渡船普遍都在船头上安一个木刻的马头，马头都是安作向后看的样子。

其十一

我和市上的女子，
用三字作的同心结儿。
没用解锥去解，
在地上自己开了。

其十二

从小爱人的“福幡”*，
竖在柳树的一边。
看柳树的阿哥自己，
请不要“向上”抛石头。

*在西藏各处的屋顶和树梢上边都竖着许多印有梵、藏文咒语的布幡，叫作rlung-bskyed或dar-lcog。藏族人民以为可以借此祈福。

其十三

写成的黑色字迹，
已被水和“雨”滴消灭；
未曾写出的心迹，
虽要拭去也无从。

其十四

嵌的黑色的印章，
话是不会说的。
请将信义的印儿，
嵌在各人的心上。

其十五

有力的蜀葵花儿，
“你”若去作供佛的物品，
也将我年幼的松石蜂儿，
带到佛堂里去。

其十六

我的意中人儿*，
若是要去学佛，
我少年也不留在这里，
要到山洞中去了。

*达斯本作『意中的女子』。

其十七

我往有道的喇嘛面前，
求他指我一条明路。
只因不能回心转意，
又失足到爱人那里去了。

其十八

我默想喇嘛底脸儿，
心中却不能显现，
我不想爱人底脸儿，
心中却清楚地看见。

其十九

若以这样的“精诚”，
用在无上的佛法，
即在今生今世，
便可肉身成佛。

其二十

洁净的水晶山上的雪水，
铃荡子*上的露水，
加上甘露药的酵“所酿成的美酒”，
智慧天女**当垆。
若用圣洁的誓约去喝，
即可不遭灾难。

* “铃荡子”藏文为klu-bdud-rde-rje，因为还未能找到它的学名，或英文名，所以不知道是什么样的一种植物。
** “智慧天女”原文为Ye-shes-mkhah-hgro。乃Ye-shes-kyi-mkhah-hgro-ma之略。Ye-shes意为“智慧”。mkhah-hgro-ma直译为“空行女”。此处为迁就语气故译作“智慧天女”。按mkhah-hgro-ma一词在藏文书中都用它译梵文之dakini一字，而dakini在汉文佛经中译音作“厂茶吉泥”，乃是能盗食人心的夜叉鬼（参看丁氏《佛学大辞典》1892页中），而在西藏传说中“空行女”即多半是绝世美人。在西藏故事中常有“空行女”同世人结婚的事，和汉族故事中的狐仙颇有点相似。
藏族人民常将“空行女”与“救度母”（sgrol-ma）相混。

其二十一

当时来运转的际（机）会，
我竖上了祈福的宝幡。
就有一位名门的才女，
请我到伊家去赴宴。

*这一节乃是极言宝幡效验之速。

其二十二

我向露了白齿微笑的女子们的*
座位间普遍地看了一眼，
一人羞涩的目光流转时，
从眼角间射到我少年的脸上。

*在这一句中藏文有lpags-pa（皮）字颇觉无从索解。

其二十三

因为心中热烈的爱慕，
问伊是否愿作我的亲密的伴侣？
伊说：若非死别，
决不生离。

其二十四

若要随彼女的心意，
今生与佛法的缘分断绝了。
若要往空寂的山岭间去云游，
就把彼女的心愿违背了。

其二十五

公（工）布少年的心情，
好似拿在网里的蜂儿。
同我做了三日的宿伴，
又想起未来与佛法了。

*这一节是一位女子讥讽伊的爱人工布少年的话，将拿在网里的蜂儿之各处乱撞，比工布少年因理欲之争而发生的不安的心情。公（工）布kong-po乃西藏地名，在拉萨东南。

其二十六

终身伴侣啊，我一想到你，
若没有信义和羞耻，
头髻上戴的松石，
是不会说话的啊！

*这一节是说女子若不贞，男子无从监督，因为能同女子到处去的，只有伊头上戴的松石。

其二十七

你露出白齿儿微笑，
是正在诱惑我呀？
心中是否有热情，
请发一个誓儿！

其二十八

情人邂逅相遇*，
被当垆的女子撮合。
若出了是非或债务，
你须担负他们的生活费啊！

*这是藏族人民常说的一句成语，直译当作『情人犹如鸟同石块在露上相遇』；意思是说鸟落在某一块石头上，不是山鸟的计划，乃系天缘。以此比情人的相遇全系天缘。

其二十九

心腹话不向父母说，
却在爱人面前说了。
从爱人的许多牡鹿*之间，
秘密的话被仇人听去了。

*此处的牡鹿，系指女子的许多“追逐者”。

其三十

情人艺桌拉茉*，
虽是被我猎人捉住的。
却被大力的长官，
讷桑嘉鲁夺去了**。

*此名意译当作『夺人心神的仙女』。

**有一个故事藏在这一节里边，但是讲这个故事的书在北平找不到，我所认识的藏族人士又都不知道这个故事，所以不能将故事中的情节告诉读者。

其三十一

宝贝在手里的时候，
不拿它当宝贝看。
宝贝丢了的时候，
却又急得心气上涌。

其三十二

爱我的爱人儿，
被别人娶去了。
心中积思成痨，
身上的肉都消瘦了。

其三十三

情人被人偷去了，
我须求签问卜去罢。
那天真烂漫的女子，
使我梦寐不忘。

其三十四

若当垆的女子不死，*
酒是喝不尽的。
我少年寄身之所，
的确可以在这里。

*某些酒家的当垆女兼操神女生涯，或撮合痴男怨女使在酒家相会。

其三十五

彼女不是母亲生的，
是桃树上长的罢！
伊对一人的爱情，
比桃花凋谢得还快呢！

其三十六

我自小相识的爱人，
莫非是与狼同类？
狼虽有成堆的肉和皮给它，
还是预备住在上面。*

*这一节是一个男子以自己的财力不能买得一个女子永久的爱，怨恨女子的话。

其三十七

野马往山上跑，
可用陷阱或绳索捉住；
爱人起了反抗，
用神通力也捉拿不住。

其三十八

躁急和暴怒联合，
将鹰的羽毛弄乱了；
诡诈和忧虑的心思，
将我弄憔悴了。

其三十九

黄边黑心的浓云，
是严霜和灾雹的张本；
非僧非俗的班第*，
是我佛教法的仇敌。

*藏文为ban-dhe。据叶式客（Yaschke）的《藏英字典》的二义：（1）佛教僧人，（2）本波（pon po）教出家人。按『本波教』为西藏原始宗教，和道教极相似。在西藏常和佛教互相排斥。此处ban-dhe似系作第二义解。

其四十

表面化水的冰地，
不是骑牡马的地方；
秘密爱人的面前，
不是谈心的地方。

其四十一

初六和十五日的明月*，

到（倒）是有些相似，

明月中的兔儿，

寿命却消磨尽了。**

*这一句藏文原文中有tshes-chen一字为达斯氏字典中所无。但此字显然是翻译梵文mahatithi一字。据威廉斯氏《梵英字典》796页谓系阴历初六日。

**这一节的意义不甚明了。据我看，若将这一节的第1、2两行和第42节的第1、2两行交换地位，这两节的意思，好像都要通顺一点。据一位西藏友人说这一节中的明月是比为政的君子，兔儿是比君子所嬖幸的小人。

其四十二

这月去了，

下月来了。

等到吉祥白月的月初*，

我们即可会面。**

*印度历法自月盈至满月谓之（白月）。见丁氏《佛学大辞典》904页下。

**这一节据说是男女相约之词。

其四十三

中间的弥卢山王*，

请牢稳地站着不动。

日月旋转的方向，

并没有想要走错。

*“弥卢山王”藏文为ri-rgyal-lhun-po。ri-rgyal意为“山王”，lxunpo意为“积”，乃译梵文之Meru一字。按Meru普通多称作Sumeru，汉文佛化中译意为“善积”，译音有“须弥山”“修迷楼”“苏迷卢”等，但世人熟知的，只有“须弥山”一句。在西藏普遍称其为ri-rab。古代印度人以为须弥山是世界的中心，日月星辰都绕着它转。这样的思想虽也曾传入我国内地，却不像在西藏那样普遍。在西藏没有一个不知道ri-rab这个名字。

其四十四

初三的明月发白，

它已尽了发白的能事，

请你对我发一个，

和十五日的夜色一样的誓约。*

*这一节意义不甚明了。

其四十五

住在十地*界中的，

有誓约的金刚护法，

若有神通的威力，

请将佛法的冤家驱逐。

*菩萨修行时所经的境界有十地：①喜欢地②离垢地③发光地④焰慧地⑤极难胜地⑥现前地⑦远行地⑧不动地⑨善慧地⑩法云地。见丁氏《佛学大辞典》225页中。护法亦系菩萨化身，故亦在十地界中。

其四十六

杜鹃从漠地来时，

适时的地气也来了；

我同爱人相会后，

身心都舒畅了。

其四十七

若不常想到无常和死。

虽有绝顶的聪明，

照理说也和呆子一样。

其四十八

不论虎狗豹狗，

用香美的食物喂它就熟了；

家中多毛的母老虎*，

熟了以后却变得更要凶恶。

*指家中悍妇。

其四十九

虽软玉似的身儿已抱惯，
却不能测知爱人心情的深浅。
只在地上画几个图形，
天上的星度却已算准。

其五十

我同爱人相会的地方，
是在南方山峡黑林中，
除去会说话的鹦鹉以外，
不论谁都不知道。
会说话的鹦鹉请了，
请不要到十字路上去多话*！

*这一句在达斯本中作“不要泄露秘密”。

其五十一

在拉萨拥挤的人群中，
琼结*人的模样俊秀。
要来我这里的爱人，
是一位琼结人哪！

*据贝尔氏说琼结Chung rgyal乃五世达赖生地，但是他却没有说是在什么地方。据藏族学者说是在拉萨东南，约有两天的路程。我以为它或者就是hphyong-rgyas（达斯氏字典852页），因为这两字在拉萨方言中读音是相似的。

其五十二

有腮胡的老黄狗，
心比人都伶俐。
不要告诉人我薄暮出去，
不要告诉人我破晓回来。

其五十三

薄暮出去寻找爱人，
破晓下了雪了。
住在布达拉时，
是瑞晋仓央嘉措。

其五十四

在拉萨下面住时，
是浪子宕桑汪波，
秘密也无用了，
足迹已印在了雪上*。

*当仓央嘉措为六世达赖时在布达拉宫正门旁边又开了一个旁门，将旁门的钥匙自己收着。等到晚上守门的把正门锁了以后，他就戴上假发，扮作在家人的模样从旁门出去，到拉萨民间，改名叫作宕桑汪波，去过他的花天酒地的生活。待破晓即回去将旁门锁好，将假发卸去，躺在床上装作老实人。这样好久，未被他人识破。有一次在破晓未回去以前下了大雪，回去时将足迹印在雪上。宫中的侍者早起后见有足迹从旁门直到仓央嘉措的卧室，疑有贼人进去。以后根究足迹的来源，直找到女子的家中，又细看足迹乃是仓央嘉措自己的，乃恍然大悟。从此这件秘密被人知道了。

其五十五

被中软玉似的人儿，
是我天真烂熳的情人。
你是否用假情假意，
要骗我少年财宝？

其五十六

将帽子戴在头上，
将发辫抛在背后。
他说：“请慢慢地走！”*
他说：“请慢慢地住。”
他问：“你心中是否悲伤？”
他说：“不久就要相会！”**

*“慢慢地走”和“慢慢地住”乃藏族人民离别时一种通常套语，犹如汉人之“再见”。

**这一节据说是仓央嘉措预言他要被拉藏汗掳去的事。

其五十七

白色的野鹤啊，
请将飞的本领借我一用。
我不到远处去耽搁，
到理塘去一遭就回来。*

*据说这一节是仓央嘉措预言他要在理塘转生的话。藏族朋友还告诉了我一个它故事，也是这位达赖要在理塘转生为七世达赖的预言。现在把它写出来。据说仓央嘉措去世以后，西藏人民急于要知道他到哪里去转生，先到箭头寺去向那里的护法神请示，不得要领。乃又到噶玛沙（skar-ma-shangi）去请示。那里的护法神附人身以后，只拿出了一面铜锣来敲一下。当时人都不明白这是什么意思，等到达赖在理塘转生的消息传来以后，乃都恍然大悟。原来作响锣的铜藏文作li（理），若把锣一敲就发thang（塘）的一声响，这不是明明白白地说达赖要在理塘转生吗！

其五十八

死后地狱界中的，
法王*有善恶业的镜子**，
在这里虽没有准则，
在那里须要报应不爽***，
让他们得胜啊****！

其五十九

卦箭中鹄的以后*，
箭头钻到地里去了；
我同爱人相会以后，
心又跟着伊去了。

*系用射的以占卜吉凶的箭。（参看达斯氏《藏英字典》673页b）

*“法王”有三义：①佛为法王；②护持佛法之国王为法王；③阎罗为法王。（见达斯氏字典430页）。此处系指阎罗。

**“善恶业镜”乃冥界写取众生善恶业的镜子。（可参看丁氏《佛学大辞典》2348页上。）

***这一节是仓央嘉措向阎罗说的话。

****“让他们得胜啊”原文为dsa-yantu乃是一个梵文字。藏文字在卷终常有此字。

其六十

印度东方的孔雀，
公（工）布谷底的鹦鹉，
生地各各不同，
聚处在法轮拉萨*。

*“法轮”乃拉萨别号。

其六十一

人们说我的话，
我心中承认是对的。
我少年琐碎的脚步，
曾到女店东家里去过*。

*据说这一节是仓央嘉措的秘密被人知晓了以后，有许多人背地里议论他，他听到以后暗中承认的话。

其六十二

柳树爱上了小鸟，
小鸟爱上了柳树。
若两人爱情和谐，
鹰即无隙可乘。

其六十三

在极短的今生之中，
邀得了这些宠幸；
在来生童年的时候，
看是否能再相逢。

其六十四

会说话的鹦鹉儿，
请你不要作声。
柳林里的画眉姐姐，
要唱一曲好听的调儿。

其六十五

后面凶恶的龙魔*，
不论怎样厉害，
前面树上的苹果，
我必须摘一个吃**。

*龙在西藏传说中有两种：一种叫作klu，读作『卢』，是有神通，能兴云作雨，也能害人的灵物。一种叫作hbrug，读作『朱』，是夏出冬伏，只能随同klu行雨，无甚本领，而也与人无害的一种动物。藏族人民通常都以为下雨时的雷声即系hbrug的鸣声，所以『雷』在藏文中叫作hbrug-skad。klu常住在水中或树上。若住在水中，它的附近就常有上半身作女子身等的怪鱼出现。若是有人误在它的住处捕鱼，或抛弃不干净的东西，它就使那人生病。它若在树上住时，永远是住在『女树（mo-Shing）』上。依西藏传说，树也分男女，凡结鲜艳的果子的树是女树。因为它有神通，所以它住在树上时我们的肉眼看不见它。不过若是树上住着一个klu，人只可拾取落在地上的果子，若是摘树上的果子吃，就得风湿等病，所以风湿在藏文中叫klu病（Klu-nad）。

**这一节是荡子的话。枝上的苹果是指荡子意中的女子。后面的毒龙是指女子家中的父亲或丈夫。

其六十六

第一最好是不相见，
如此便可不至相恋。
第二最好是不相识，
如此便可不用相思。*

*这一节据藏族学者说应该放在29节以后。

仓央嘉措情诗全集·曾缄译本

曾缄（1892—1968），出生于四川叙永人，字慎言，一作圣言，早年就读于北京大学中文系，受教于黄侃，对古文学和诗词造诣颇深，北大毕业后到蒙藏委员会任职，《六世达赖仓央嘉措情歌全集》就是其任职期间从民间流传的情歌中搜集、整理，由藏语译成。该版本为现行汉译古本中公认成就较高的版本。历任四川参议会议员，四川国学专门学校教务长，四川大学文学院教授，四川大学中文系系主任兼文科研究所主任。解放后任四川大学中文系教授。抗战时曾任雅安县县长，是早期蒙藏委员会委员，四川大学中文系教授。《六世达赖仓央嘉措情歌全集》中文译本（古体译本）系曾缄传世名作，曾发表在《康导月刊》1939年1卷8期上，创作名篇《布达拉宫辞》，闻名海内外。

其一

心头影事幻重重，化作佳人绝代容。

恰似东山山上月，轻轻走出最高峰。

注：此言倩影之来心上，如明月之出东山。

其二

转眼苑枯便不同，昔日芳草化飞蓬。

饶君老去形骸在，弯似南方竹节弓。

注：藏南、不丹等地产良弓，以竹为之。

其三

意外娉婷忽见知，结成鸳侣慰相思。

此身似历茫茫海，一颗骊珠乍得时。

其四

邂逅谁家一女郎，玉肌兰气郁芳香。

可怜璀璨松精石，不遇知音在路旁。

注：松石，藏人所佩，示可避邪，为宝石之一种。

其五

名门娇女态翩翩，阅尽倾城觉汝贤。

比似园林多少树，枝头一果骋鲊妍。

注：以枝头果状伊人之美，颇为别致。

其六

一自魂消那壁厢，至今寤寐不能忘。

当时交臂还相失，此后思君空断肠。

其七

我与伊人本一家，情缘虽尽莫咨嗟。

清明过了春归去，几见狂蜂恋落花。

其八

青女欲来天气凉，蒹葭和露晚苍苍。

黄蜂散尽花飞尽，怨杀无情一夜霜。

注：意谓拆散蜂与花者，霜也。

其九

飞来野鹜恋丛芦，能向芦中小住无。
一事寒心留不得，层冰吹冻满平湖。

其十

莫道无情渡口舟，舟中木马解回头。
不知负义儿家婿，尚解回头一顾不。

注：藏中渡船皆刻木为马，其头反顾。

其十一

游戏拉萨十字街，偶逢商女共徘徊。
匆匆绾箇同心结，掷地旋看已自开。

其十二

长干小生最可怜，为立祥幡傍柳边。
树底阿哥需护惜，莫教飞石到幡前。

注：藏俗于屋前多竖经幡，用以祈福。此诗可谓君子之爱人也，因及于其屋之幡。

其十三

手写瑶笺被雨淋，模糊点画费探寻。
纵然灭却书中字，难灭情人一片心。

其十四

小印圆匀黛色深，私钳纸尾意沉吟。
烦君刻画相思去，印入伊人一片心。

注：藏人多用圆印，其色作黛绿。

其十五

细腰蜂语蜀葵花，何日高堂供曼遮。
但使侬骑花背稳，请君驮上法王家。

注：曼遮，佛前供养法也。

其十六

含情私询意中人，莫要空门证法身。
卿果出家吾亦逝，入山和汝断红尘。

注：此上二诗，于分为二，言虽出家，亦不相离。前诗葵花，比意中人，细腰蜂所以自况也。其意一贯，故前后共为一首。

其十七

至诚皈命喇嘛前，大道明明为我宣。
无奈此心狂未歇，归来仍到那人边。

其十八

入定修观法眼开，祈求三宝降灵台。
观中诸圣何曾见，不请情人却自来。

其十九

静时修止动修观，历历情人挂眼前。
肯把此心移学道，即生成佛有何难。

注：以上二诗亦为一首。藏中佛法最重观想，观中之佛菩萨，名曰本尊，此谓观中本尊不现，而情人反现也。昔见他本情歌二章，余约其意为蝶恋花词云：静坐焚香观法像，不见如来，镇日空凝想。只有情人来眼上，婷婷铸出姣模样。碧海无言波自荡，金雁飞来，忽露惊疑状。此事寻常君莫怅，微风皱作鳞鳞浪。前半阕所咏即此诗也。

其二十

醴泉甘露和流霞，不是寻常卖酒家。
空女当垆亲赐饮，醉乡开出吉祥花。

注：空行女是诸佛眷属，能福人。

其二十一

为竖幡幢诵梵经，欲凭道力感娉婷。
琼筵果奉佳人召，知是前朝佛法灵。

其二十二

贝齿微张笑靥开，双眸闪电座中来。
无端觑看情郎面，不觉红涡晕两腮。

其二十三

情到浓时起致辞，可能长作玉交枝。
除非死后当分散，不遣生前有别离。

注：前二句是问词，后二句是答词。

其二十四

曾虑多情损梵行，入山又恐别倾城。
世间安得双全法，不负如来不负卿。

其二十五

绝似花蜂困网罗，奈他工布少年何。
圆成好梦才三日，又拟将身学佛陀。

注：工布，藏中地名，此女子诮所欢男子之辞。

其二十六

别后行踪费我猜，可曾非议赴阳台。
同行只有钗头凤，不解人前告密来。

注：此疑所欢女子有外遇而致恨钗头凤之缄口无言也。原文为髻上松石，今以钗头凤代之。

其二十七

微笑知君欲诱谁，两行玉齿露参差。
此时心意真相属，可肯侬前举誓词。

其二十八

飞来一对野鸳鸯，撮合劳他贳酒娘。
但使有情成眷属，不辞辛苦作慈航。

注：拉萨酒家撮合痴男怨女，即以酒肆作女闾。

其二十九

密意难为父母陈，暗中私说与情人。
情人更向情人说，直到仇家听得真。

其三十

腻婥仙人不易寻，前朝遇我忽成禽。
无端又被卢桑夺，一入侯门似海深。

注：腻婥拉荣，译言为夺人魂魄之神女。卢桑人名，当时有力权贵也。藏人谓此诗有故事，未详。

其三十一

明知宝物得来难，在手何曾作宝看。
直到一朝遗失后，每思奇痛彻心肝。

其三十二

深怜密爱誓终身，忽抱琵琶向别人。
自理愁肠磨病骨，为卿憔悴欲成尘。

其三十三

盗过佳人便失踪，求神问卜冀重逢。
思量昔日天真处，只有依稀一梦中。

注：此盗亦复风雅，唯难乎其为失主耳。

其三十四

少年浪迹爱章台，性命唯堪寄酒怀。
传语当垆诸女伴，卿如不死定常来。

注：一云：当垆女子未死日，杯中美酒无尽时，少年一身安所托，此间乐可常栖迟。此当垆女，当是仓央嘉措夜出便门私会之人。

其三十五

美人不是母胎生，应是桃花树长成。
已恨桃花容易落，落花比汝尚多情。

注：此以桃花易谢，比彼姝之情薄。

其三十六

生小从来识彼姝，问渠家世是狼无。
成堆血肉留难住，奔走荒山何所图。

注：此竟以狼况彼姝，恶其野性难驯。

其三十七

山头野马性难驯，机陷犹堪制彼身。
自叹神通空具足，不能调伏枕边人。

注：此又以野马况之。

其三十八

羽毛零乱不成衣，深悔苍鹰一怒非。
我为忧思自憔悴，哪能无损旧腰围。

注：鹰怒则损羽毛，人忧亦亏形容，此以比拟出之。

其三十九

浮云内黑外边黄，此是天寒欲雨霜。
班弟貌僧心是俗，明明未法到沧桑。

注：班弟教名，此藏中外道，故仓央嘉措斥之。

其四十

外虽解冻内偏凝，骑马还防踏暗冰。
往诉不堪逢彼怒，美人心上有层冰。

注：谓彼美外柔内刚，惴惴然常恐不当其意。

其四十一

弦望相看各有期，本来一体异盈亏。
腹中顾兔消磨尽，始是清光饱满时。

注：此与杜子美所却月中桂，清光应更多同意，藏中学者，谓此诗以月比君子，兔比小人，信然。原文甚晦，疑其上下句有颠倒，余以意通之，译如此。

其四十二

前月推移后月来，暂时分离不须衰。
吉祥白月行看近，又到佳期第二回。

注：藏人依天竺俗，谓月满为吉祥白月。

其四十三

须弥不动住中央，日月游行绕四方。
各驾轻车投熟路，未须却脚叹迷阳。

注：日月皆绕须弥，出佛经。

其四十四

新月才看一线明，气吞碧落便横行。
初三自诩清光满，十五何来皓魄盈？

注：讥小人得意便志得意满。

其四十五

十地庄严住法王，誓言诃护有金刚。
神通大力知无敌，尽逐魔军去八荒。

注：此赞佛之词。

其四十六

杜宇新从漠地来，无边春色一时回。
还如意外情人至，使我心花顷刻开。

注：藏地高寒，杜宇啼而后春至，此又以杜宇况其情人。

其四十七

不观生灭与无常，但逐轮回向死亡。
绝顶聪明矜世智，叹他于此总茫茫。

注：谓人不知佛法，不能观死无常，虽智实愚。

其四十八

君看众犬吠狺狺，饲以雏豚亦易训。
只有家中雌老虎，愈温存处愈生嗔。

注：此又斥之为虎，且抑虎而扬犬，读之可发一笑。

其四十九

抱惯娇躯识重轻，就中难测是深情。
输他一种觇星术，星斗弥天认得清。

注：天上之繁星易测，而彼美之心难测，然既抱惯娇躯识重轻矣，而必欲知其情之深浅，何哉？我欲知之，而彼偏不令我知之，而我弥欲知之，如是立言，是真能堪破痴儿女心事者。此诗可谓妙文，嘉措可谓快人。

其五十

郁郁南山树草繁，还从幽处会婵娟。
知情只有闲鹦鹉，莫向三叉路口言。

注：此野合之词。

其五十一

拉萨游女漫如云，琼结佳人独秀群。
我向此中求伴侣，最先属意便为君。

注：琼结地名，佳丽自所出。杜少陵诗云：燕赵休矜出佳丽，后宫不拟选才人。此诗与之相反。

其五十二

龙钟黄犬老多髭，镇日司阍仗尔才。
莫道夜深吾出去，莫言破晓我归来。

注：此黄犬当是为仓央嘉措看守便门者。

其五十三

为寻情侣去匆匆，破晓归来积雪中。
就里机关谁识得，仓央嘉措布拉宫。

注：以上两诗原本为一首，而于本分之。

其五十四

夜走拉萨逐绮罗，有名荡子是汪波。
而今秘密浑无用，一路琼瑶足迹多。

注：此记更名宕桑汪波，游戏酒家，踏雪留痕，为执事僧识破事。

其五十五

玉软香温被裹身，动人怜处是天真。
疑他别有机权在，巧为钱刀做笑颦。

其五十六

轻垂辫发结冠缨，临别叮咛缓缓行。
不久与君须会合，暂时判袂莫伤情。

注：仓央嘉措别传言夜出，有假发为世俗人装，故有垂发结缨之事。当是与所欢相诀之词，而藏人则谓是被拉藏汗逼走之预言。

其五十七

跨鹤高飞意壮哉，云霄一羽雪皑皑。
此行莫恨天涯远，咫尺理塘归去来。

注：七世达赖转生理塘，藏人谓是仓央嘉措再世，即据此诗。

其五十八

死后魂游地狱前，冥王业镜正高悬。
一囚阶下成禽日，万鬼同声唱凯旋。

其五十九

卦箭分明中鹄来，箭头颠倒落尘埃。
情人一见还成鹄，心箭何如挽得回。

注：卦箭卜巫之物，藏中喇嘛用以决疑者。此谓卦箭中鹄，有去无还，亦如此心驰逐情人，往而不返也。

其六十

孔雀多生印度东，姣鹦工布产偏丰。
二禽相去当千里，同在拉萨一市中。

其六十一

行事曾叫众口哗，本来白璧有微瑕。

少年琐碎零星步，曾到拉萨卖酒家。

其六十二

鸟对垂杨似有情，垂杨亦爱鸟轻盈。

若叫树鸟长如此，伺隙苍鹰那得撄。

注：虽两情缱绻，而事不机密，亦足致败，仓央嘉措于此似不无噬脐之悔。

其六十三

结尽同心缔尽缘，此生虽短意缠绵。

与卿再世相逢日，玉树临风一少年。

其六十四

吩咐林中解语莺，辩才虽好且休鸣。

画眉阿姐垂杨畔，我要听她唱一声。

注：时必有以不入耳之言，强聒于仓央嘉措之前者。

其六十五

纵使龙魔逐我来，张牙舞爪欲为灾。
眼前苹果终须吃，大胆将它摘一枚。

注：龙魔谓强暴，苹果谓佳人，此大有见义不为无勇之慨。

其六十六

但曾相见便相知，相见何如不见时。
安得与君相诀绝，免教生死作相思。

注：强作解脱语，逾解脱、逾缠绵，以此作结，悠然不尽，或云当移在39首之后，则索然矣。

资料来源：《仓央嘉措及其情歌研究（资料汇编）》，黄颢、吴碧云编，西藏人民出版社出版，《西藏研究》编辑部编辑，1982年6月第1版。《六世达赖情歌六十六首》，曾缄译，摘自《康导月刊》1939年1卷8期。